KRAKOWSKI RYNEK

dla
chłopców i dziewczynek

tekst: Michał Rusinek
ilustracje: Iwona Cała

Krakowski rynek
dla chłopców i dziewczynek

Korekta:
Lidia Kowalczyk, Joanna Pijewska

Wydanie I

ISBN 978-83-7672-348-8

Wydawnictwo **Literatura**, Łódź 2014
91-334 Łódź, ul. Srebrna 41
handlowy@wyd-literatura.com.pl
tel. (42) 630 23 81
faks (42) 632 30 24
www.wyd-literatura.com.pl

napisał Michał Rusinek   zilustrowała Iwona Cała

KRAKOWSKI RYNEK

dla
chłopców i dziewczynek

LITERATURA

Co można robić w słoneczny ranek?
Gonić gołębie? Jeść obwarzanek?
Oglądać różne śmieszne pomniki
czy u kwiaciarki kupić goździki?
Może w kawiarni posiedzieć troszkę?
Zamiast taksówki wybrać dorożkę?
Słuchać, jak hejnał płynie z daleka?
Przed lajkonikiem żwawo uciekać?
Odkryć, gdzie wieża jest ratuszowa
lub kościół, co się pod ziemię chowa?
Usiąść na chwilę przy panu Piotrze?
Znaleźć malarza na miarę potrzeb?
Wokół studzienek robić przytupy?
Czy w Sukiennicach robić zakupy?
A może zwiedzić kościół Mariacki?

To ci dopiero gryplan wariacki!
Cóż wam za rzeczy chodzą po głowie?

No, takie rzeczy – tylko w Krakowie.

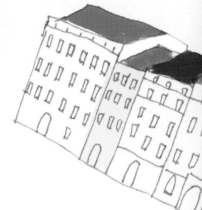

Gołębie

Na rynku zwykle się kłębi
chmara szarych gołębi.
Kiedy dziecięce paluszki
sypią gołębiom okruszki
albo gdy czyjaś ręka
sypie gołębiom ziarenka,
gruchają do siebie gołębie:
– Okrrruszki – niebo w gębie!
Ziarrrenka – wprrrost wyborrrne!
Po czym ukłony wytworne
składają niesłychanie
– dziękując za śniadanie.

7

Obwarzanki

– Dla koleżanki
mam obwarzanki!
Z makiem, z sezamem,
z solą lub same!
Lepsze niż grzanka!
Hasło poranka:
NIE MA ŚNIADANKA
BEZ OBWARZANKA!

9

Kwiaciarki

– Kupujcie róże,
małe i duże!

– Kup tulipany,
będziesz lubiany!

– Kupujcie frezje,
są jak poezje!

– Kupcie gerbery,
najlepiej cztery!

– Kupcie irysy,
miejcie kaprysy!

– Kupcie żonkile,
mam ich aż tyle!

– Kupujcie dzwonki,
są prosto z łąki!

– A ten bukiecik?
Jest dla was, dzieci!

Pomnik Adama Mickiewicza

Przez obwarzanek spójrz sam lub sama:
tam stoi pomnik pana Adama.
Ten pan Adam był poetą bardzo słynnym,
o miłości umiał pisać jak nikt inny.
Dziś się pod nim spotykają zakochani.
Popatrz: różę właśnie dał ten pan tej pani!

12

Kawiarnie

„Kawiarnia" wzięła się od „kawy".
Kawa to napój brązowawy,
pity na sposób dość niemrawy,
bo nie jest słodki, lecz gorzkawy.

Na szczęście oprócz gorzkich kaw,
kiedy się ma szczęśliwy traf,
w kawiarniach można dostać sok
(tak mówił mi Wawelski Smok).

14

Dorożki

Kiedy ci słodko albo gorzko,
możesz przejechać się dorożką
po rynku albo wokół Błoń,
jeśli się na to zgodzi koń.

Hejnał

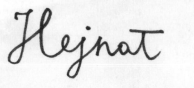

To bardzo znana melodyjka,
gra ją na trąbce, co godzinę,
strażak – z okienka tamtej wieży
i robi przy tym ważną minę.

Czemu? I czemu ta melodia
tak się urywa niespodzianie?
Kto mi odpowie, ten cukierka
od lajkonika dziś dostanie.

Lajkonik

Kto spotyka lajkonika,
drży ze strachu jak osika
lub do bramy jakiejś zmyka!

Bo lajkonik swą buławą
bije w lewo, bije w prawo
i to zawsze z wielką wprawą!

Ejże! Nie ma się co bać,
wręcz należy dać się sprać:
kto dostanie pałką w bok,
będzie szczęście mieć przez rok.

21

Wieża ratuszowa

Wiadomości to nienowe,
że na wieży ratuszowej
mieszka zwierzę ratuszowe,
co ma bardzo dużą głowę.
Czy jest upał, czy śnieżyca,
nów czy pełnia znów księżyca
lub gdy ludzie w dole mokną –
ono patrzy się przez okno.

Ze zdziwienia owo zwierzę
wzdycha czasem: – No nie wierzę!
A wzdychając tak z przekąsem,
bardzo ślicznie kręci wąsem.
Kiedy zwierzę robi miny,
wtedy jeden wąs godziny,
drugi zaś minuty wskaże.
Jak to zwykle na... zegarze.

23

Kościół Świętego Wojciecha

Budynki zwykle w górę rosną
jak kwiatki wiosną.
Ten, zamiast rosnąć, wolno wrasta
pod chodnik miasta.
Zanim się schowa całkowicie,
może do niego zajrzycie?

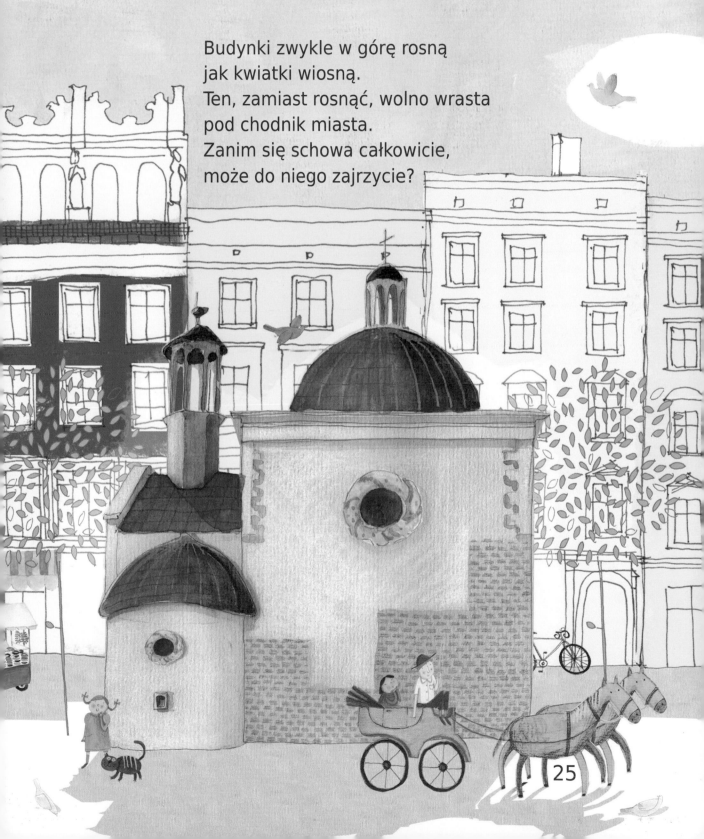

Pomnik Piotra Skrzyneckiego

Po drugiej stronie, przed kawiarnią,
w dziwacznym dość kapelusiku
siedział i patrzył w krąg z uśmiechem
pan, co przyjaciół miał bez liku.
Ten pan był mędrcem i artystą,
żył bez zegarka, kalendarza,
a kiedy umarł, przyjaciele
wnet zamówili u rzeźbiarza
pomnik. Więc nadal przed kawiarnią
w dziwacznym dość kapelusiku
siedzi pan Piotr i się uśmiecha,
kiedy zdjęć robią mu bez liku.

27

Malarze

Chciałbyś mieć portret? Potrzebny malarz.
Ale pamiętaj: nie byle który!
Bo są malarze, którzy malować
umieją tylko karykatury.

Sukiennice

Co to są Sukiennice?
Czy to są okiennice,
czy noszą dziś spódnice?
A może ośmiornice,
co wyszły na ulice?
A może to słonice:
samice-samotnice?
Co to są Sukiennice?

Cóż, mówią tak rodzice,
wskazując na stronicę:
– Spójrz, tu są gołębice.
A tu – to Sukiennice!

ZWIEDZANIE

30

Studzienka

Na rynku nie ma łazienki.
Na rynku są studzienki.
A wodą z nich
prychając – prrych! –
chlapią się konie dorożkarskie,
lecz tylko takie bardziej dziarskie.
Reszta koni się kąpać wstydzi,
gdy to jakiś przechodzień widzi.

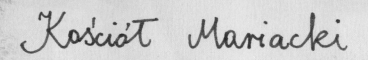

Kościół Mariacki

Oto kościół bardzo znany,
budowany przez dwóch braci.
Jeden wyższą zrobił wieżę,
drugi przez to rozum stracił
i z zazdrości ukatrupił
rodzonego swego brata,
a gdy oprzytomniał wreszcie –
sam się wyniósł z tego świata.

Opowiastka to ponura,
lecz wyjaśnia bardzo szczerze,
czemu różnej są wielkości
owe dwie mariackie wieże.

Wieczorem

I oto księżyc wzeszedł nad rynkiem
jak obwarzanek z makiem lub kminkiem.
Śpią już gołębie i śpią pomniki,
i śpią dorożki, chrapią koniki.
Śpią już studzienki duże i małe
ukołysane sennym hejnałem.
Śni się kwiaciarkom, że je ktoś goni,
ktoś, kto ma brodę – pewnie lajkonik.
Zasnęła wieża już ratuszowa,
kościół pod ziemię głębiej się schował,
po tym dzisiejszym dniu pełnym wrażeń
sny kolorowe mają malarze.
Śpią Sukiennice jak duże zwierzę,
no i zasnęły mariackie wieże.

Wszyscy obudzą się rześcy rano.
Wy też. A teraz śpijcie. Dobranoc!

Spis treści